Colina do Pote de Mel

Loja de Costura
Dedal de Açafrã

Para a cidade

Pomar

Cais do Vapor

Venda
Bem-me

Viveiros do
Vale Alfazema

Casa-jardim da Serenidade

Casa dos Valérios

Lago Alfazema

Escola de Dança
do Lago Alfazema

Casa de Chá "As Abelhas"

ESCOLA

Escola da Roseira

Hotel da Sebe
Onde vive a Mimosa

Lagoa
Hortelã-Pimenta

Campo Dourado

Recanto do Azevinho

Bosque das Especiarias

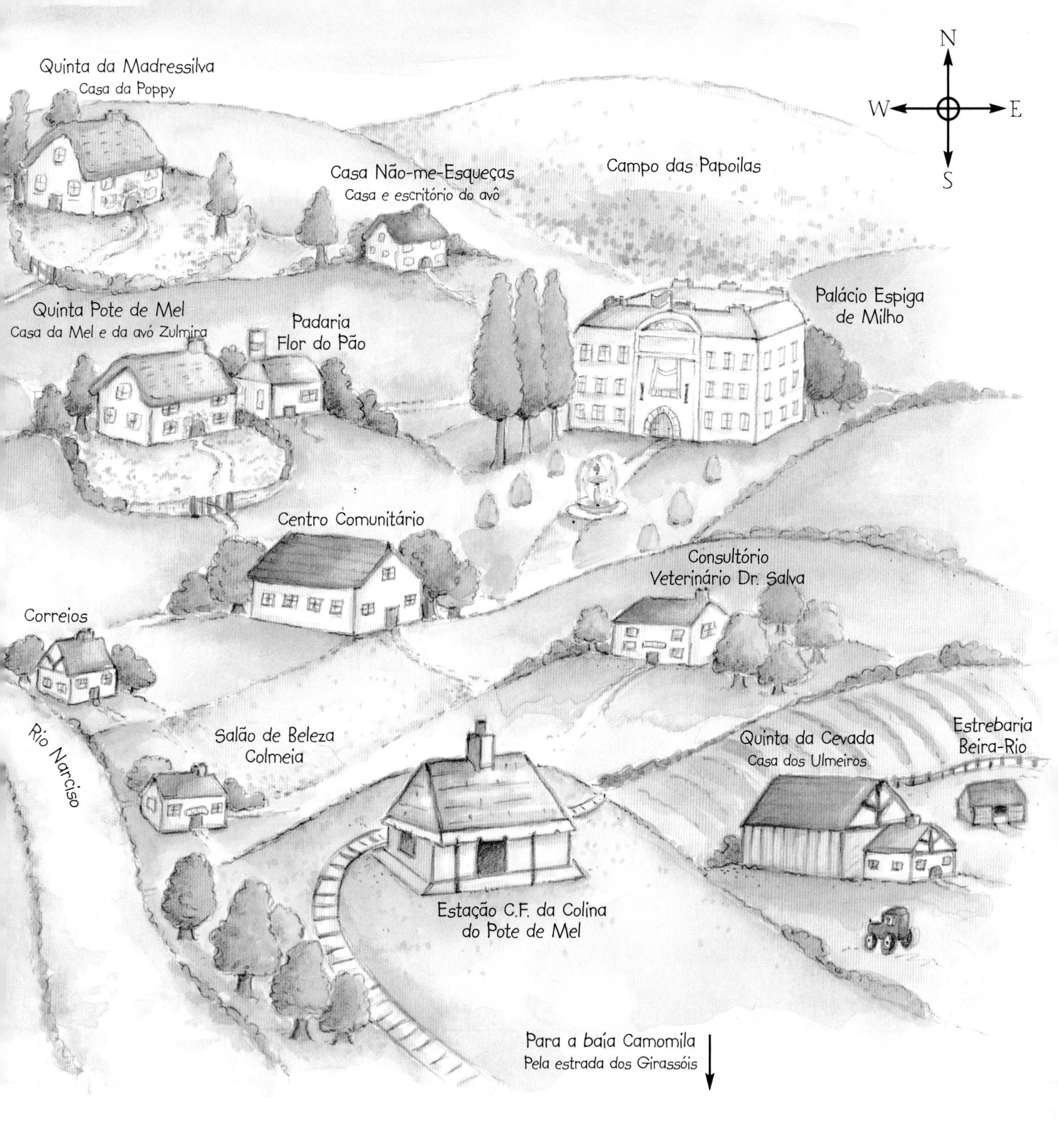
N
W
E
S
Quinta da Madressilva
Casa da Poppy
Casa Não-me-Esqueças
Casa e escritório do avô
Campo das Papoilas
Quinta Pote de Mel
Casa da Mel e da avó Zulmira
Padaria
Flor do Pão
Palácio Espiga
de Milho
Centro Comunitário
Consultório
Veterinário Dr. Salva
Correios
Rio Narciso
Salão de Beleza
Colmeia
Quinta da Cevada
Casa dos Ulmeiros
Estrebaria
Beira-Rio
Estação C.F. da Colina
do Pote de Mel
Para a baía Camomila
Pela estrada dos Girassóis

Junta-te à Princesa Poppy em mais aventuras . . .

★ O Baile da Feira ★ Estrela de Ballet ★ O Pónei Brilhante ★
★ Pinta com a Poppy – Livro de colorir ★
★ Brinca com a Poppy – Livro de actividades ★

www.princesapoppy.com.pt

Edição original
Título: *Princess Poppy – The Birthday*
Texto: © 2006 Janey Louise Jones
Ilustrações: © 2006 Picture Corgi Books
Ilustrações de Veronica Vasylenko • Design de Tracey Cunnell
Publicado em 2006 por Picture Corgi Books, uma chancela de Random House Children's Books, Londres.

Edição em português (excepto Brasil)
Tradução: Isabel Fraga
ISBN: 978-989-96031-7-2
Depósito Legal: 290 410/09
Código: 222.001.01

1.ª edição, 1.ª impressão: Julho de 2009
Impresso na China • 3000 exemplares

BOOKSMILE é uma chancela de Palco das Palavras, Lda.
Rot. Nuno Rodrigues dos Santos, 1, 5.º H • 2685-223 Portela LRS • Portugal
Tel./Fax +351 218936000 • GPS 38.783, -9.111
contacto@BOOKSMILE.pt • www.BOOKSMILE.pt
Escreva-nos para receber as nossas novidades.

O Aniversário

Escrito por Janey Louise Jones

Para Emma Brown,
que foi uma verdadeira princesa

O Aniversário

Personagens

Mel

★

Avô

★

Mãe

★

Pai

★

Princesa Poppy

Avó Zulmira

Dedal de Açafrão

★

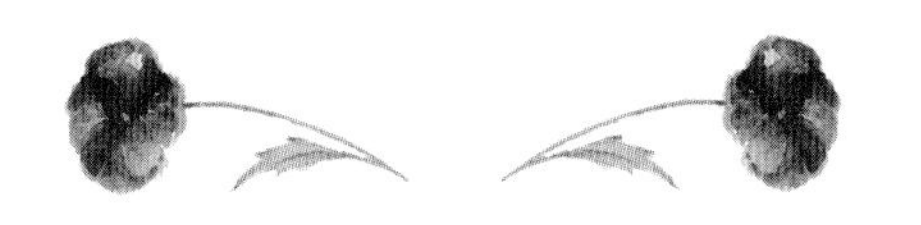

A Poppy acordou muito cedo.

– Boa! Hoje faço anos! – gritou, saltando da cama.

– Adoro aniversários – disse. – Hoje posso ser uma princesa especial durante todo o dia.

A Poppy olhou em volta. Havia brinquedos, livros e roupas espalhados pelo quarto, mas, de presentes, nem sinal.

Hummm, nada para a princesa aniversariante.

– Só espero que ninguém se tenha esquecido do meu aniversário – disse com um suspiro.

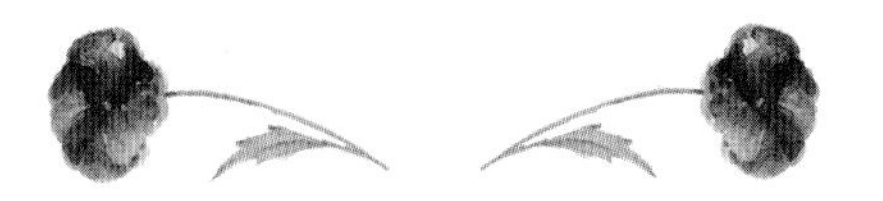

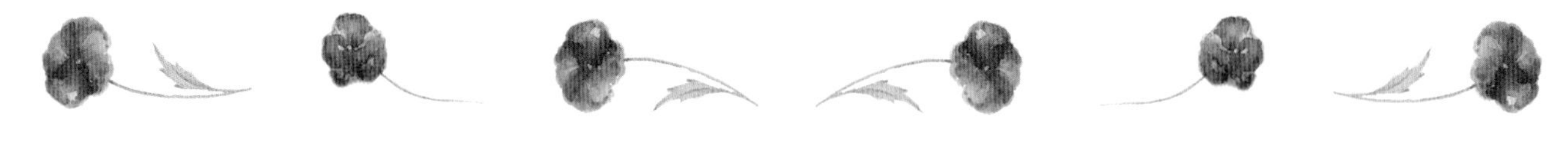

A Poppy penteou-se . . .

pôs o seu vestido preferido, o vermelho . . .

e prendeu os ganchinhos no cabelo.

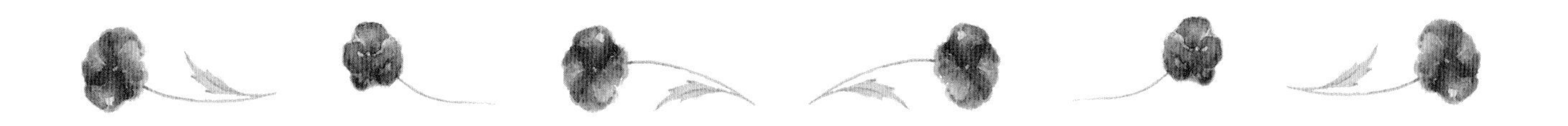

– Estou pronta para ver os meus presentes – declarou, correndo para o quarto dos pais.

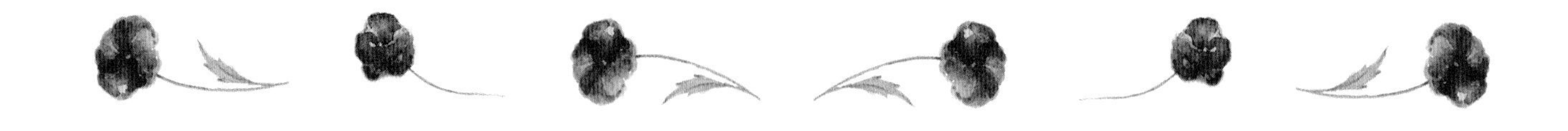

– Mãe, pai, já aqui estou – disse.

– Oh, Poppy, ainda estou com sono – respondeu uma voz abafada pelos cobertores.

– Mas é o meu aniv . . . – começou a Poppy.

– Volta para a cama por mais meia hora – murmurou a mãe.

– Ainda são sete da manhã, Poppy – resmungou o pai.

Como é possível o pai e a mãe ficarem a dormir até tarde num dia tão especial para mim? – pensou a Poppy, amuada.

Voltou para a cama. – Isto é tão aborrecido – queixou-se a aniversariante.

Decidiu então ir à casa do lado ter com a avó Zulmira, que acorda sempre muito cedo.

Quando a Poppy chegou, havia sobre a mesa montes de morangos acabadinhos de cortar, e a avó Zulmira estava a bater o açúcar e a manteiga numa grande tigela.

– Olá, avó Zulmira, hoje é o dia do meu . . .

– Poppy, não vês que estou a trabalhar?

– Não me interrompas agora, vemo-nos mais tarde – disse com um sorriso.

Nem sequer a avó Zulmira se lembra do meu aniversário.

– Já sei! – pensou a Poppy. – Vou visitar o avô.
Pelo menos *ele* nunca se esquece dos meus anos.

Abriu a grande porta do escritório do avô e foi dar com ele escondido atrás de um enorme jornal.

– Não posso falar agora, querida. Estou a fazer as palavras cruzadas.

A Poppy saiu e bateu com a porta. PUM! *Nem sequer o avô!*

– E tinha o jornal de pernas para o ar!

A seguir, a Poppy espreitou pela janela da loja de costura. A sua prima Dedal de Açafrão estava muito entretida a costurar um bonito vestido de noite.

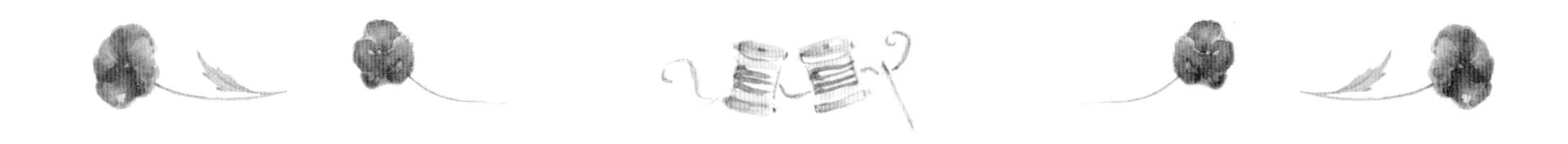

– Olá, Dedal, que coisa linda! Sabias que hoje é o dia do meu . . .

– Poppy, desculpa, mas tenho mesmo de acabar isto – interrompeu a Dedal. – É para uma menina que não sabe esperar por nada. Não tenho tempo para conversar.

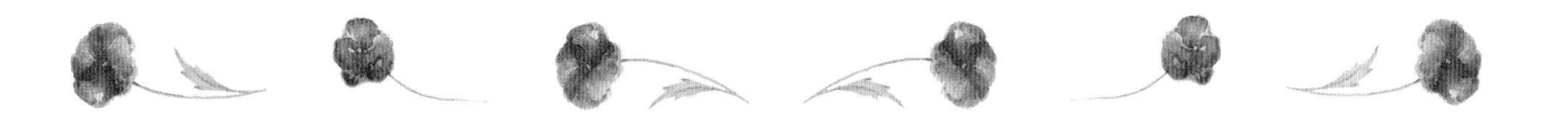

Até a Dedal está muito ocupada!

A Poppy dirigiu-se então para o Jardim Alfazema, para ir ter com a sua melhor amiga Mel . . .

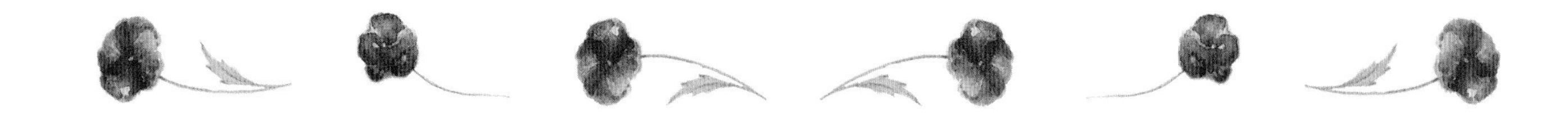

A Mel tinha posto o seu vestido de fada.

– Por favor, diz-me que te lembraste do meu aniversário – suplicou a Poppy.

– Oh, Poppy, eu não me esqueci, mas a verdade é que também não me lembrei, não sei se me entendes – justificou-se a Mel, meio atrapalhada.

A Poppy, coitadinha, estava tão triste. Era como se ninguém gostasse dela o suficiente para se lembrar do seu dia.

– Não compreendo – disse. – A mamã diz *sempre* que no dia dos meus anos sou uma princesa muito especial.

De repente, a Mel deu um salto. – Vem comigo, Poppy. Vamos brincar para o jardim.

Quando se aproximavam do jardim, ouviram uma música muito bonita.

A Mel abriu os portões . . .

SURPRESA!

Serpentinas, balões e pétalas de flores choveram sobre a cabeça da Poppy.

TAU!, fizeram os pequenos foguetes.

– FELIZ ANIVERSÁRIO! – gritaram os familiares e amigos da Poppy.

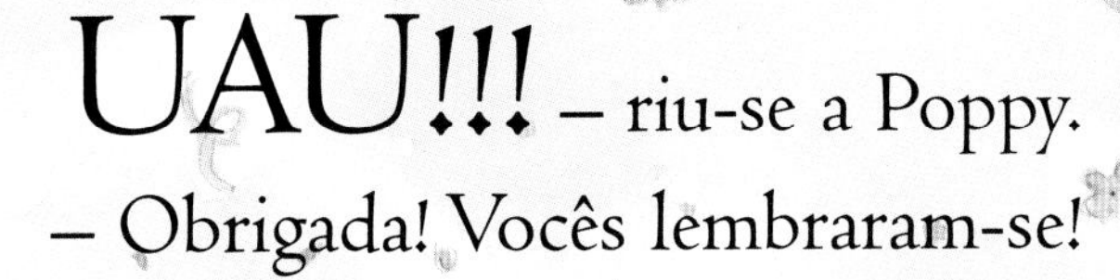

UAU!!! – riu-se a Poppy.

– Obrigada! Vocês lembraram-se!

– Soubeste esperar com muita paciência, querida – elogiou a mãe. – Agora podes abrir todos os teus lindos presentes!

A mãe deu à Poppy uma bela caixa de veludo vermelho. Lá dentro estava um colar cintilante. A Poppy colocou-o ao pescoço.

– É tão brilhante! Obrigada, mamã! Obrigada, papá!

A avó Zulmira segurava nas mãos um bolo de anos decorado com morangos fresquinhos e chantilly.

A Poppy apagou as velas e, a seguir, provou uma fatia.

– Hum, está delicioso!

O avô entregou à Poppy uma coroa com três papoilas no alto. A Poppy pô-la na cabeça.

– Adorei! Obrigada, avô!

A seguir foi a vez da Dedal, que deu à Poppy uma enorme caixa branca, coberta de papoilas, com um laço vermelho em cima.

A Poppy abriu a caixa e encontrou um vestido vermelho como os que as princesas levam aos bailes, e uns sapatos de veludo também vermelhos.

– Oh, Dedal, era para mim! Obrigada! – agradeceu a Poppy. – Pensei que tinhas dito que era para uma menina que não sabia esperar por nada!

Nesse momento, começaram todos a rir.

– Mas, Poppy – disse a Mel – ainda há pouco tomámos o pequeno--almoço, e tu já estavas impaciente por abrires os presentes, não é verdade?

– Talvez um bocadinho – confessou a Poppy, com uma risadinha. – Devia ter calculado que qualquer coisa adorável estava para acontecer.

A Mel deu então à amiga um pequeno frasquinho de vidro com um laço vermelho em volta.

– É perfume de pétalas – explicou. – Fui eu que o fiz.

– Oh, Mel, cheira tão bem! – disse a Poppy, enquanto punha uma gotinha de perfume atrás das orelhas.

A seguir, a Poppy saiu a correr para experimentar o seu vestido de princesa e os sapatos de veludo.

– És a princesa mais bonita de sempre, Poppy – disse o avô, quando ela lhe mostrou todos os belos presentes que tinha recebido.

– Avô, *todas* as meninas são princesas? – perguntou ela.

– Sim, Poppy, todas as meninas são princesas, principalmente no dia do seu aniversário!

A Poppy rodopiou, feliz. – Que festa tão perfeita a da Princesa Poppy!

OBRIGADA A TODOS!

Depois de leres este livro,
visita o meu sítio na Internet:
www.princesapoppy.com.pt